宝井理人

テンカウント

10count

rihito takarai

3

黒《くろ》瀬《せ》　陸《りく》

心療内科勤務のカウンセラー。心の奥に、
絶対に押しちゃいけないと否定して、必死に隠している
スイッチがある。

s t o r y

カウンセラーの黒《くろ》瀬《せ》から不潔恐怖症を克服するための個人的なカウンセリングを受けている城《しろ》谷《たに》は、週に一度、黒瀬の職場近くのカフェで待ち合わせ、「曝露《ばくろ》反応妨害法」を実践している。城谷への想いを自覚した黒瀬に一度は去られてしまうが、好きだからそばにいると触れたくなると言う黒瀬に対し、解《わか》らないけど黒瀬に会えなくなるのは嫌だと答え、治療《カウンセリング》を続行することに。その後、宣言通り触れてくる黒瀬の手でいかされてしまった城谷は、嫌なはずなのに黒瀬の手を意識してしまう自分に戸惑う。黒瀬はそんな城谷を自室のベッドへ招き入れ、再び城谷に触れる。ともに果てた翌朝、黒瀬が駄目にしたスーツをふたりで買いに行くことになり……。

曝露反応妨害法

「抵抗・不安がある行為」を「あえて行う」(＝曝露)と、その後手洗いなどの「強迫行為」を「あえてしない」(＝反応妨害)をセットで行う治療法。症状や環境等により実施方法はさまざまだが、黒瀬は、できそうなことから段階的に進めていくために、まず「抵抗がある行為」を抵抗の弱い順に1～10まで書き出させ、1からクリアしていくという方法をとった。

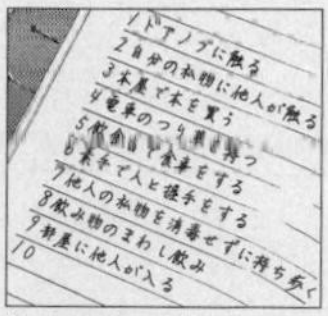

城谷の書き出したリスト

c h a r a c t e r s

三《み》上《かみ》

城谷と同じ会社の
同期の友人。営業部。
城谷の不潔恐怖症に理解がある。

倉《くら》本《もと》

城谷の会社の社長。
車にはねられそうなところを
黒瀬に助けられた。

城《しろ》谷《たに》忠《ただ》臣《おみ》

社長秘書。不潔恐怖症。黒瀬に対する気持ちは、
恋愛感情じゃなくてただの依存なんじゃないかと惑っている。

contents

count《テンカウント》.13
トン
トン
忘れ物ないですか?
多分
自分家《ち》じゃない
玄関から出かけるのって
変な感じだ……
しかもこんな
ラフな格好で

テンカウント count.13

服のサイズ気になります？
やっぱり一回帰りますか？
いや
俺はそんなに気にならないですけど…
変ですか？
変じゃないですよ

本当はスーツを買いに行く時はスーツで行くのが一番いいんですけど
一旦《いったん》外に出ると
俺 また帰ってから風呂に入って、消毒して着替えて、また部屋掃除して……ってしないと気が済まなくなると思うんで
かなり時間かかりますし
そんなことに時間かけるより
せっかくの休みだし
どこかに出かけたほうがいいですよね
じゃあ 行きましょう

あんなことができたんだし
もう　今なら割と何でも出来そうな気がしてくる
いらっしゃいませ
どのようなスーツをお探しですか？
あ
俺じゃなくてこっちの人にオーダースーツを
イージーオーダーやフルオーダーがありますが――
イージーオーダーでお願いします

かしこまりました
こちらへどうぞ
黒瀬《くろせ》くん
本当にいいんですか？
プレゼントじゃなくて
「弁償」なんだから当然ですよ
………
店員待ってますよ
フルオーダーじゃなくていいんですかって
失礼します

スーツを他人に買ってもらうなんて……
その上理由がまさか——……
あんな…
様……
お客様
あ、はい
手首を採寸しますので袖《そで》を捲《まく》っても宜《よろ》しいですか？

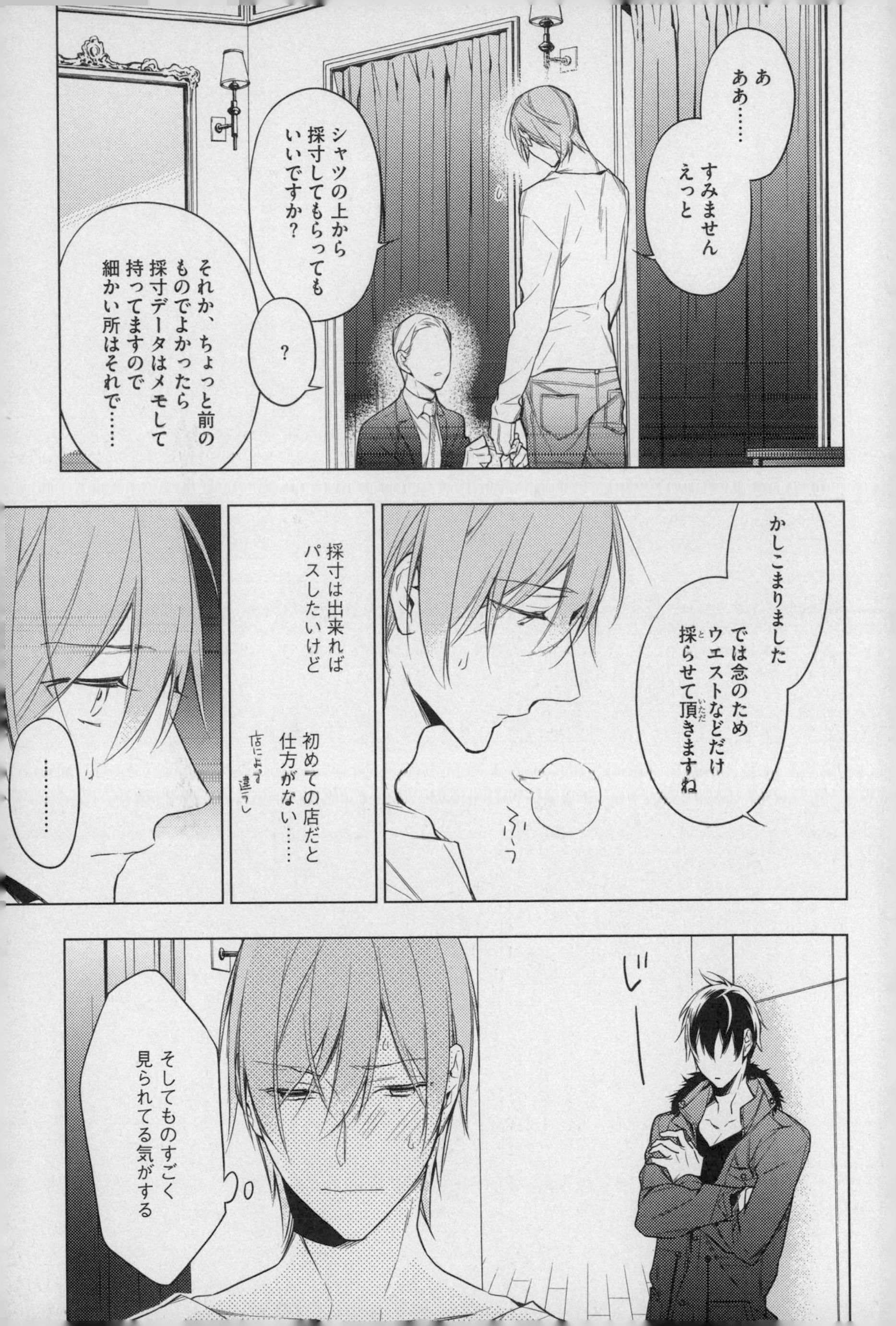

あ
ああ……
すみません
えっと
シャツの上から採寸してもらってもいいですか？
？
それか、ちょっと前のものでよかったら採寸データはメモして持ってますので細かい所はそれで……
かしこまりました
では念のためウエストなどだけ採《と》らせて頂《いただ》きますね
ふっ
採寸は出来ればパスしたいけど
初めての店だと仕方がない……
店によって違うし
……
じーー
そしてものすごく見られてる気がする

あの生地似合ってましたよ
では3週間後に
ありがとうございました

……黒瀬《くろせ》くんはあんまりスーツ着ないですか？
ポーーー
俺は冠婚葬祭《かんこんそうさい》かリクルートスーツくらいしか着たことないですね
ポーーー
黒瀬《くろせ》くん背が高いから似合いそうなのに…
ガーー
ざわ
ざわ
ざわ ざわ
みし…
ざわ

ギュウ・・・
……っ
びく
すみません
いや
ドキ
ドキ
ドキ
ドキ
ドキ・・
何でも出来そう……
だと思ったのは
気のせいだった
ドキ
じわ・・
手
洗いたく
なってきた……
ポー
ザワ
ザワ
ザワ

はーっ
疲れました?
はは ちょっと……
さっきの店でも ちょっと店員に 触《さわ》られたくらい なのに——
やっぱり そんなにすぐ 全部はよく ならないですね
そこ 座っててください
え
あ はい

ふー…
すと
しっかり除菌!
10枚入
除菌
ウェットティッシ
ほ…
こんなことしても
意味はないのは解《わか》ってる
日常生活はこんなに
面倒なのに

昨日は自分から
黒瀬《くろせ》くんに
触《さわ》るように促《うなが》したり
して――
っ…
ここ
はっ
ここ 痛いっ…
うっ……
ぶわっ
って何 今思い出してんだ
こんな俺を見て
ドク
ギゅ…
ドク
黒瀬《くろせ》くんはどう
思ってるんだろう
もしかして
心の中で
笑ってたりするんだろうか――

け
けどあんなことされたら誰でも生理現象で――
う……
城谷《しろたに》さん？
ひっ
すみません
水
飲みますか？
あ
ありがとうございます

難しい顔 してましたね
そ そうですか？
そんなことないです
……あんなことした 俺が言うのも 変ですけど
あんまり無理しないで くださいね
あんな事
っ… く
あっ あっ
くろせく
黒瀬《くろせ》くんが 言わないでください

そうだ俺
あんなこと出来たんだから
まわし飲みくらい……
どうってことないんじゃ
ないか？
ギゅ…っ
「何でも」は無理でも――
く
黒瀬《くろせ》くん

水
先に飲みます……
か？
え……？
………
――……
はい

elvic
500ml
パキ
ごく
ごく
ごく
ごく
……
ふー…!

「先に」って……
こういうことでいいんですよね？
ドキドキ
ドキ
ドキ
まわし飲みまだクリアしてないので
キスはしないでおきますね
つまり

これを飲んだら――

ぷた
コト.
え……
ぶる‥

大丈夫ですか？
ドキ
……だい
大丈夫です
すみません
はぁ
やっぱり
これはまた
今度にしましょう
キュ
――……
は
はぁ
はい……

何だこれ
お俺―どうなって……
はっ
ガク
…ガク
ガク
はぁ
黒瀬《くろせ》くんの家で使ったシャンプーも
黒瀬《くろせ》くんの服も―
俺の体
黒瀬《くろせ》くんの匂《にお》いでいっぱいだ
ふ
ふっ

はっ
はぁ
くいっ
ビク

すみません
あの あんまり前に屈《かが》むと
は
それ シャツが大きいから……
え……
あ
ぱっ
今日は帰りましょうか

明日仕事ですし
はっ………
は…っ
城谷《しろたに》さん？
本当に大丈夫ですか？
ち 違うんです
違うんです……
ガク
ガク
動けない……
ガク
ガク

もしかして……勃《た》ってます？
……っ
どうして……
はっ
解《わか》らないです……
はぁ

どうして 俺
こんなことに
とりあえず
コートの前閉めて――
タクシー乗り場まで
歩けますか？
人目のない所
行きましょう

10count by rihito takarai

10 count by rihito takarai

テンカウント
count.14
TA

ガチャッ
結局また俺ん家《ち》に戻ってきちゃいましたけど……
ここでよかったんですか？
上着そこにかけてください
あ　ああ
は
はい
ぼー……

あれ?
カッ
っ あれ
もた
もた
もた…
ぬっ
手伝います
ビク
っ……

カコ
シャワーとか……
だい
大丈夫です
はぁ
は…
ガク
ガク
ガク
ガク

ぐぐ
ぴんっ
！
っ――
びく
びくびくっ
ああ
もうこんな
だったんですね
ひ…
と〜〜―…！
ひくひく

がく
…っ
くはっ
がく
はっ
がく
はっ
あ
すみません
今の痛かったですか？
こく
こく
ん…ふっ
とろ…
カー
……っ
………
自分でも
何でこんなに心と体が裏腹なのか……

黒瀬《くろせ》くん……
俺のこと
わ
笑わないでください
……
笑わないですよ
ス・
ドキ

ちゅっ
あ……っ？
びくっ
がくんっ
よろ
ぎゅっ
は
はっ
がく
はっ
こ
腰が
抜けた…
がく
がく
はふ
っ

城谷《しろたに》さん
口でしてもいいですか…?
や
そんな汚いことしたら
し 死んじゃいますよ……
は
え
はぁ
死ぬって
細菌ででですか?
ふ
………
そうかもしれないですね
えっ
ドキ

ややっぱり
やめましょう
ぐい
離してください！
俺が手離したら
城谷《しろたに》さん床にひざ
ついちゃいますよ
うー
……っ
ここ
持っててください
まっ……
ネロー
びく
は
ふ
あ
ぞくっ
ぞくっ
ぞくっ
あっ……

ん……
く
ふ……
ふ
んっ
んっ
は…
城谷《しろたに》さん……

がくっ
はーーっ
はーーっ
はーー…
がくっ
腰
揺れるの
我慢してますか？
がくっ
がくっ
ね
咥《くわ》えてて
あげますから
腰動かしてください
！っ
ぶん
ぶん
ぶんっ
まだ
腰……
抜けてるから
む
無理ですっ

かぷ
あ……っ
っ
あ
がくがくがくっ
がく
とろ――
く
はっ
ぞく
は――
黒瀬《くろせ》くん……
何で
ぞく
ぞく
はーっ

何で
もっと
はー…っ
もっと
…はーっ
舐《な》めてほしいのに
はーっ
つぷ
ぷ
ぷ
ぷ
っん
んん……
ぬる
ビクッ
ふぁ

ちゅっ‥
あ……
……あっ
ちゅぷ
は……っ
ちゅ
あ
んっ…ふ
ガク
うまくできな……
ガク
っ…
ガク
こ こんなことして
くぷ…っ
あ
ふ
くぷっ
も…
本当に
黒瀬《くろせ》くんが死んだら……
っ…
ふー
どうしよう
ふー
くろせく……
じわ…
ん

ちら…
ドキ
ひあ……
あっ んっ——
どくっ
!
ぶるっ ぶるっ
くぅ…っ
どくどく
どく
う
ぶるっ
ず…

っ は…っ
はー
へた
はーっ
はーっ
はー
は
は
ごくん
えっ あ ちょ
ちょ くろ
え？

すすみません
すみません!
いえ
そんなの飲んで
本当に
どうにかなったら
どうするんですか
ふふっ
きゅうっ!
な

ややっぱり笑ってるじゃないですか……っ
…………
……ところで
立てるようになるまでこのままで居たらいいですか？
それともソファーかベッドまで運んだほうがいいですか？
は…
――……は

黒瀬《くろせ》くん
もし、ですけど
もし俺も黒瀬《くろせ》くんのことが好きだって言ったら――
どうなるんですか？
……そうしたら
俺の恋人になってくださいってお願いします
こ
恋人になったらどうなるんですか？

ギゅ
なったら 帰しませんよ
城谷《しろたに》さんがもっと 泣くようなことします
びくっ
……
……離してください
好きって 言ってくれるんじゃ ないんですか?
好きじゃないです……

10count by rihito takarai

テンカウント
count.15

本当にそのまま帰るんですか？
外 もう結構寒いですよ
髪 乾かすくらい……
いや タクシーですし大丈夫です
……そんなに逃げるように帰らなくても……
はっ…

さっきの冗談
そんなに効《き》きましたか？
あ
明日仕事なので
今日こそ早く帰らないといけないんです
ガチャッ
バタン
じゃあお邪魔しましたっ
はー

ガチャーン
「もし 俺も
黒瀬《くろせ》くんのことが
好きだって言ったら――
どうなるんですか?」
ふ

……鍵？

ザー……
キュッ
ぼふ
は――……っ
くた
ようやく……自分の家……
色々ありすぎて
この数日間が……
一ヵ月くらいに……

……思える
すー……
チチチ
はっ
や
やばい月曜だ！
会社
サーーーッ
いつの間に寝てたんだ
ふとんもかけないで……
よかった
社長の出社時刻にギリギリ間に合う
ほっ……
100%
7:25
月曜日
えくしっ

は
はぁ
はぁ
城谷《しろたに》
三上《みかみ》
おはよう
はぁ
はよ
こんな時間に出勤するの珍《めずら》しいなー
いつも誰より先に来てるのに
ちょっと寝坊して……
はぁ
ああ
だから今日なんかいつもと雰囲気違うのか
はぁ
え？
んー何が違うんだろ
髪形？

いつももっと
きっちりセット
してたような……
でもなんか
それも自然で
いいじゃん
あ
ああ
時間なくて……
社 東澤
じゃ
またな

俺は
下ろしてる方が好きです
下ろすと目にかかるから
少し切るかな
ブーー・ブーー
おっ…
こんなことしてる場合じゃない

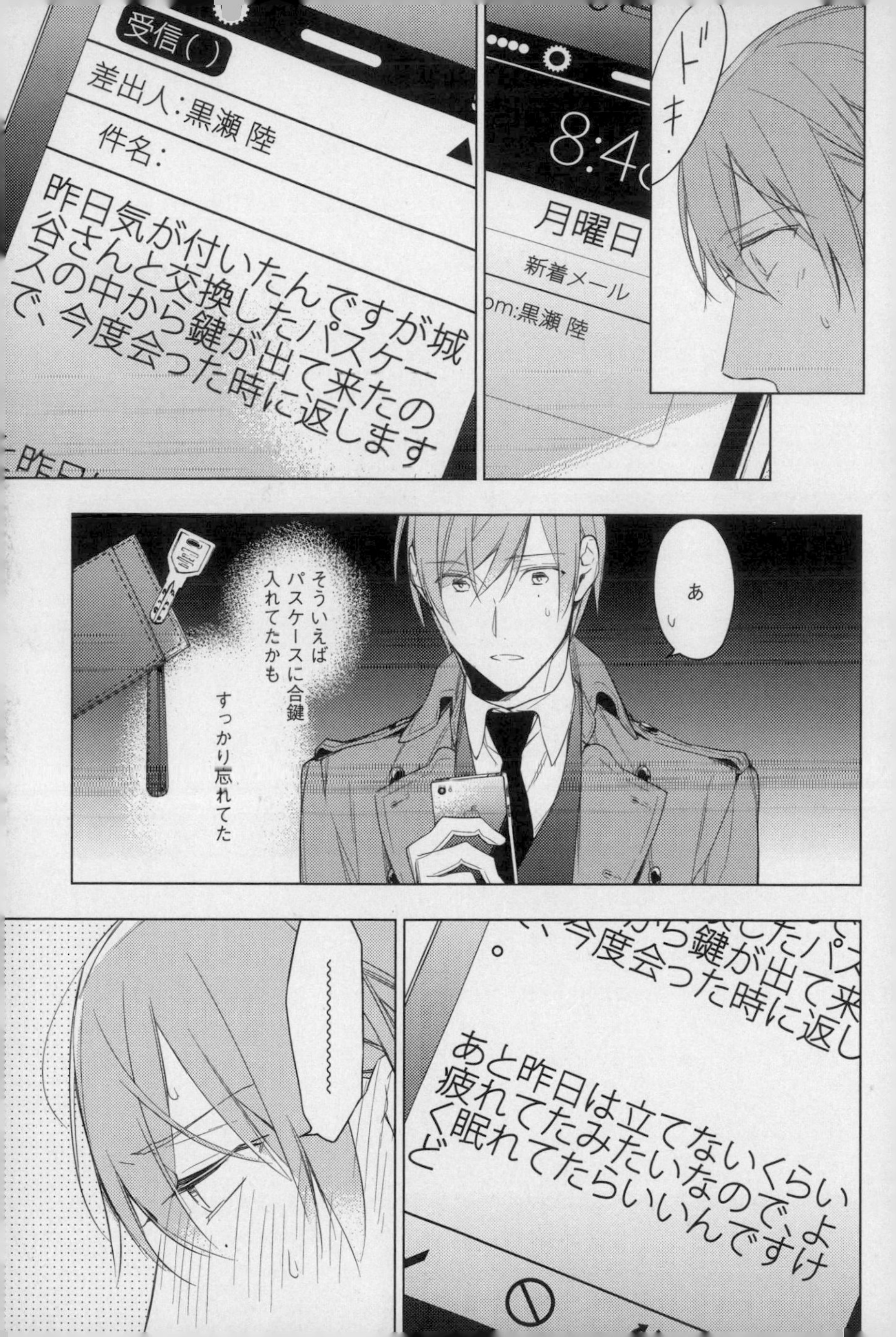

ドキ・
8:4
月曜日
新着メール
om:黒瀬 陸
受信( )
差出人:黒瀬 陸
件名:
昨日気が付いたんですが城谷さんと交換したパスケースの中から鍵が出て来たので、今度会った時に返します
あ
そういえばパスケースに合鍵入れてたかも
すっかり忘れてた
今度会った時に返し
あと昨日は立てないくらい疲れてたみたいなので、よく眠れてたらいいんですけど
〜〜〜〜

やっぱり 髪切らない
ズボ
カタカタ
カタ
カタ
城谷《しろたに》くん
明日の 店舗《てんぽ》の下見の件 だけど――
カタ
カタ
カタ
カタ
城谷《しろたに》くん？
あっ
あ はい すみません

明日の店舗の下見の件だけどね
もし時間があったらその前に神田《かんだ》の支社に寄りたいんだけどいいかな？
すぐに確認します
ふ…っくしっ
カシャーン
あっ……
バサバサ
大丈夫？
失礼しました
後で拾っておきます……

ん？
城谷《しろたに》くん なんだか顔が 赤いよ
さっきから くしゃみも多いし 風邪でもひいてる んじゃないか？
え？
熱だけでも 測った方が――
といってもどちらに せよ もう退社時刻も 近いしなあ
今日は幸いこの後の 予定もないし 早退していいよ
いえ大丈夫です
いやいや もし風邪なら こじらせても いけないし
……そ そうですが

こじらせてまた休むと迷惑がかかるな……
……そうですね
ありがとうございます
では今日はお言葉に甘えて……
はぁ
‥はぁ
はぁ．
ぼーっ
ああ
これ本当に風邪かもしれない……
さすがに昨日あのまま眠ったのはまずかったか……

早く寝て気合で治そう
はぁ
はぁ
島田心療内
●診療科目●
心療内科・神経科
診療時間
月
火
水
木
金
10:00~12:00
15:00~20:00
金曜日は第１・３週
編集
既読メッセージ
3日前
城谷　忠臣
駅につきました
4日前
1414
電話のお知らせ…
4日前
ゴト。

10count by rihito takarai

テンカウント count.16

ああ これ本当に 風邪かもしれない……
はぁ
はぁ…
さすがに昨日 あのまま眠ったのは まずかったか……
早く寝て 気合で治そう
52%
既読メッセージ
3日
忠臣
きました
4
414
守番電話のお知らせ…
城谷 忠臣
の事ですが

ガサ・
はぁ
風邪薬……
パキ
よかった まだあった
はぁ
ごく
ごく
夕飯は作る気力がない……
後でいいか……
よろ・・・
はぁ

はぁ…
ブーーッ
ブーー
ブーー
ブーー
98%
着信
黒瀬 陸
あ
そういえば
黒瀬《くろせ》くんからのメール
返信してない
プッ
はい

もしもし
黒瀬《くろせ》くん……
メールの返信まだでしたね俺すみません
いえ……
いつも割とすぐ返信が来るので
怒らせたかと思って
はは……よく解《わか》りましたね
怒ってますよ？
パスケースに合鍵入れてたことすっかり忘れてました
不用心ですね
ーっと‥
どこかで失くして
誰かが部屋まで襲いに来たらどうするんですか？
ーっと‥
は.

……黒瀬《くろせ》くんみたいな変な人は滅多にいないので大丈夫です
…………
……城谷《しろたに》さん具合悪いんですか?
え
何か 声のトーンが

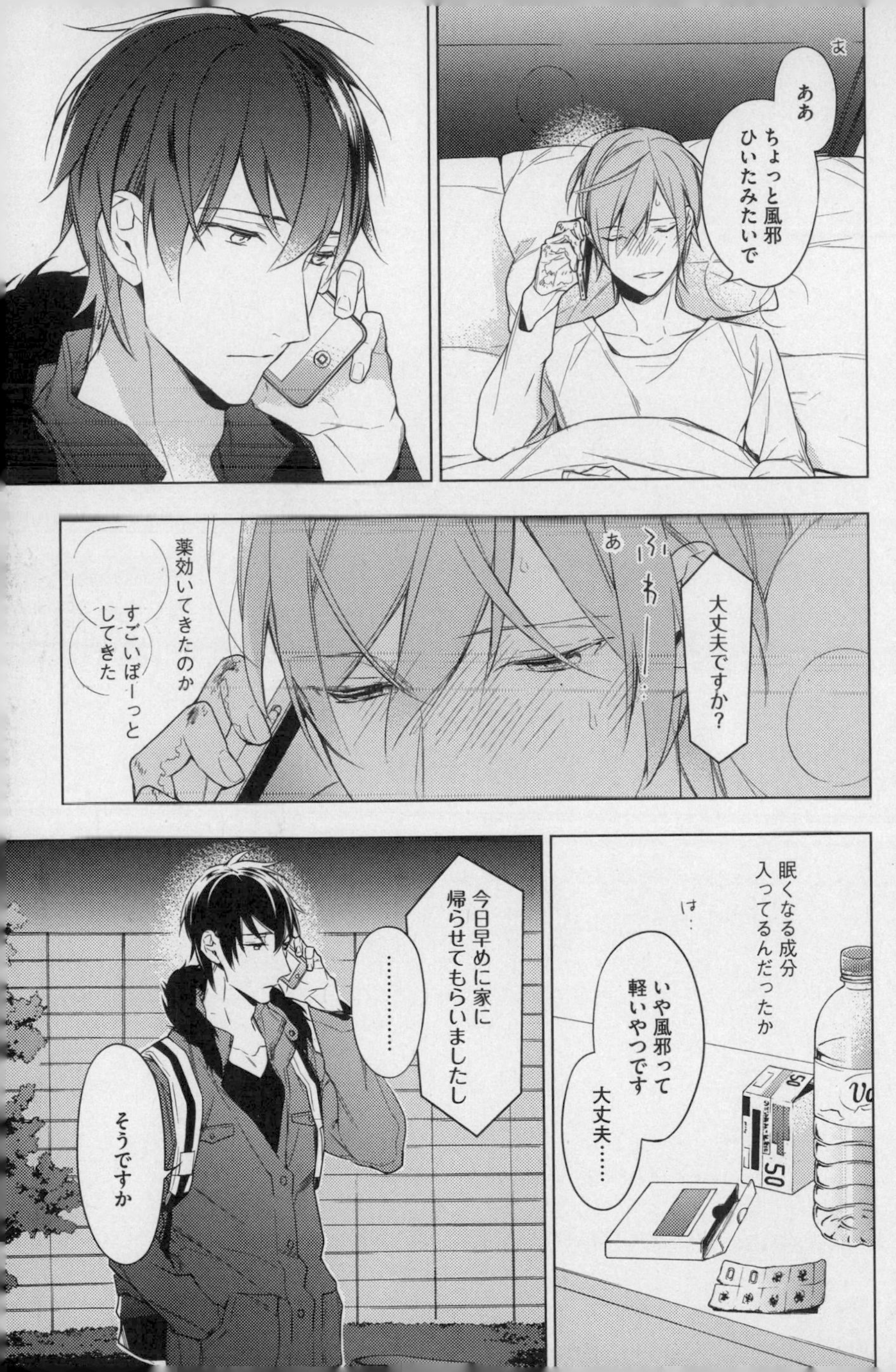
あ
ああ
ちょっと風邪ひいたみたいで
大丈夫ですか?
ふあー…
あ
薬効いてきたのか
すごいぼーっとしてきた
眠くなる成分入ってるんだったか
は…
いや風邪って軽いやつです
大丈夫……
今日早めに家に帰らせてもらいましたし
……………
そうですか

じゃあ風邪が治ったらまた——
しん…
——…
城谷《しろたに》さん？
城谷《しろたに》さん
…プー
プー

48%
<戻る
全ての連絡先
城谷 忠臣
FaceTime
アドレス
プルルルルル
プルルルルル
プルルルルル
プルルル……
留守番電話に接続します
プルルルル…
留守番電話に……
…………
風邪……って……

キッ
はぁ はぁ
は…
プルルルルル
38%
発信
城谷 忠臣
プルルルルル
プルルルルル

プルルルルル
プルルルルル
出ろ……っ
プルルルルル
ブー
ブー
着信
応答
拒否
ブー
ブー

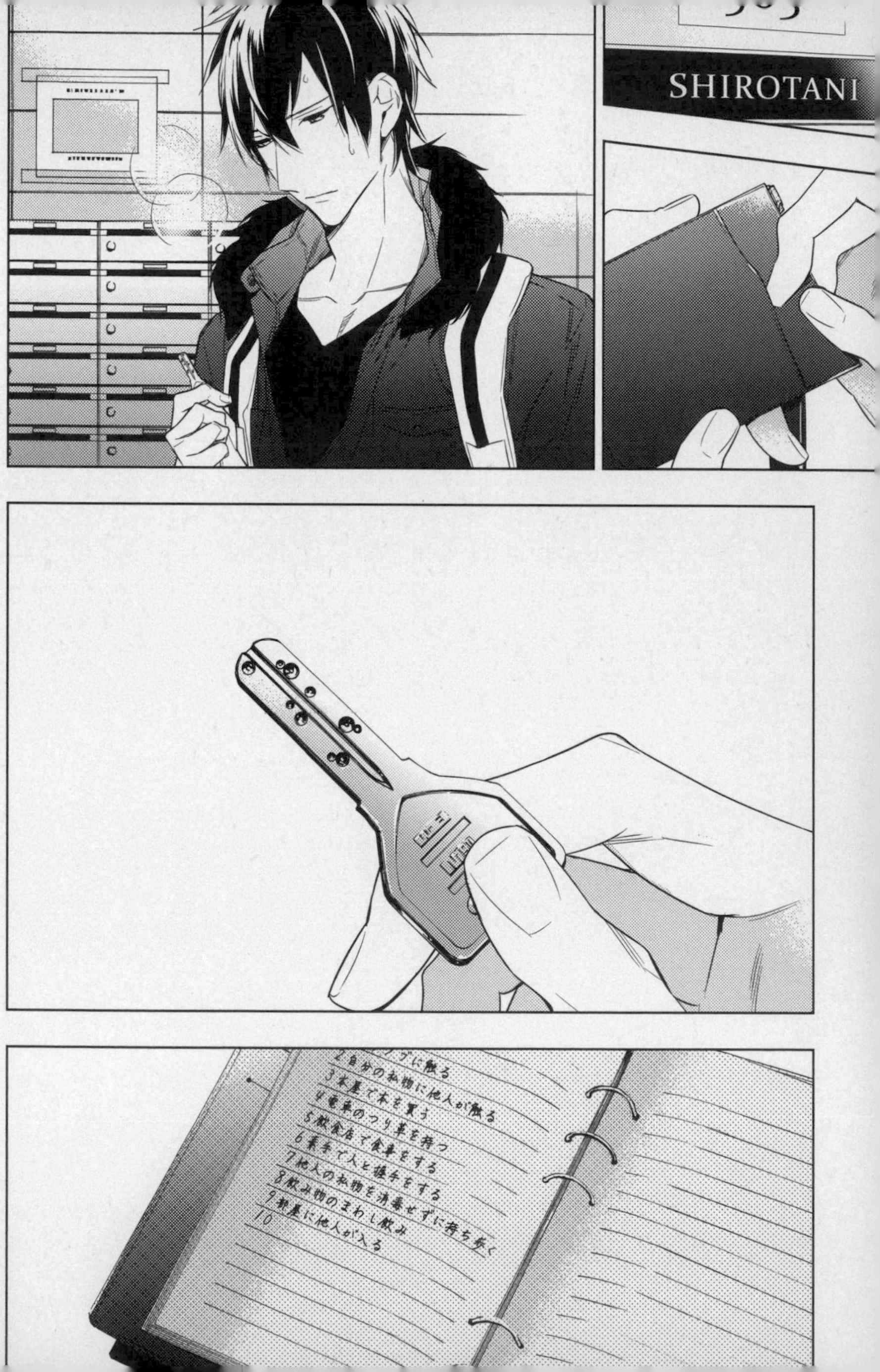
SHIROTANI
ブに触る
2自分の私物に他人が触る
3本屋で本を買う
4電車のつり革を持つ
5飲食店で食事をする
6素手で人と握手をする
7他人の私物を消毒せずに持ち歩く
8飲み物のまわし飲み
9部屋に他人が入る
10

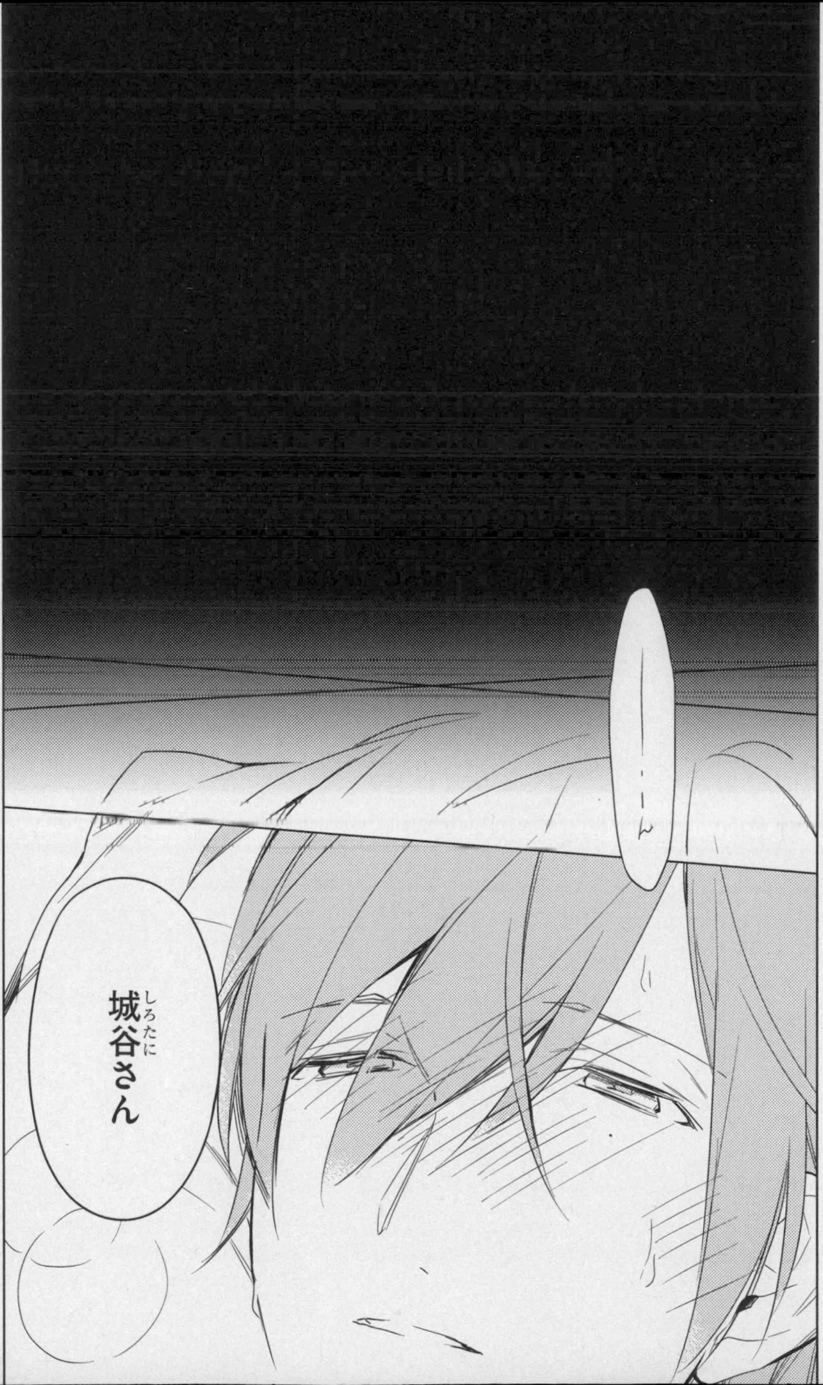
――…ん
城谷《しろたに》さん

城谷《しろたに》さん
は‥
はぁ

ほ…
く
黒瀬《くろせ》くん……?
ぼーー
どうして
黒瀬《くろせ》くん
そんな顔——
…………
大丈夫ですか?
だ
大丈夫って……
え……?
ぎゅ
どうして
黒瀬《くろせ》くんがここに?

城谷《しろたに》さんが電話に全然
は
出ないから……
また
万一ただの風邪じゃなかったらと思って
俺が見たことない黒瀬《くろせ》くんの顔――
ふぅ
勝手に部屋に入ってすみません
パスケースに入ってた合鍵使いました

電話が切れてから
ここに来るまで
外で一時間
くらい
マンションの管理人に
部屋に入られるのと
救急隊員に入られるのと
どれがマシか
考えたんですが……
救急車は前に
嫌だって…
あぁ 俺
そうか
電話の途中で
寝落ちたんですね
寝落ちた？
気絶じゃなくて？
電話が来る20分くらい
前に薬を飲んで
その副作用か
急激に眠くなって
しまって
………
そうですか
ところで

黒瀬《くろせ》くんは
この寒い中 外で一時間も考えてたんですか？
それはどうでもいいんです
それよりも――
すみません すぐ出て行きますから
鍵、ここに置いていいですか？

あ… はい…
は… はぁ
は…
俺以外の人間が
俺の部屋に居る
信じられない光景

ドアノブを
素手で回して
汚染物質がついてる
かもしれない服で
そのまま部屋に入った
どこを歩いてきたか
わからない足で
部屋の中を歩いた
ウイルスがついてる
かもしれない手で
ベッドに触れた

俺の部屋の空気に
俺以外の人間のものが混じった
部屋から出て行ったら
早くアルコールで消毒しないと

あっ
ぱ
その
く
黒瀬《くろせ》くん
そこのペットボトル取ってもらえますか……？

待て
何言ってるんだ？
俺
は
ノドからからで
そんなことしたら
Strawberry
glico
ああ……
はい

コポ・
あ
大丈夫ですか
手元が狂って……
熱のせいですかね
ドキ ドキ
駄目《だめ》だ
ドキ
ドキ
黒瀬《くろせ》くんが部屋に居ると

…………
ペットボトル
持ってましょうか?
こく
やめろ
必要ないって言え

10 count by rihito takarai

………
ペットボトル
テンカウント
count.17
持ってましょうか?
こく
やめろ
必要ないって
言え

テンカウント
count.17

ん
んく
んく
んく
っ
ふはっ
はぁ…
あ
ありがとうございます……
は
黒瀬《くろせ》くん

今日のは事故みたいなもので
俺が自発的に部屋に招いた訳じゃないですけど
もしこの後俺が部屋を消毒するの我慢できたら
リストの9番目
クリアしたことになりますか……?
我慢できますか?

が 我慢します
本当に？
城谷《しろたに》さんが目覚める前に俺 部屋のどこに触れたか解《わか》らないですよ
うぐ
大丈夫です
偉いですね
城谷《しろたに》さん

ぞく…っ
っ……
ぞくぞく
ぞくぞく
………
つい長居しちゃいましたね
何かあったら電話してください
帰るんですか？
はい
買い物とか
やってほしい用事があればやりますけど……
それとも用もなくここに居てもいいんですか？

一緒に居たら
黒瀬《くろせ》くんに風邪うつりますかね？
……城谷《しろたに》さん……
そういうこと言って
また俺を生殺しにするの酷《ひど》いですね
キ・

びくっー
っ
風邪
俺にうつしますか?
びく
びく
って言ったら
また逃げる癖《くせ》に……

は
はぁ
はぁ
は
は・・
黒瀬《くろせ》
くんに
ぞく
うつったら 困る……
はぁ
ひや
びく
……っ
黒瀬《くろせ》く
びく
すり
今日手
冷たい…っ
びく

城谷《しろたに》さんが熱いからです
城谷《しろたに》さん
ふ―
ふ――っ
口あけて
舌出して下さい
や
やだ
ギシュ―ッ…

びく
すー
すり
びく
っ…
びく
ん
や
びく
ふ
嫌だ
ふー!
ふー
はっ
はー
はー
絶対

ずい
ふぁっ・・
ビクッ
ひゃ……
あっ
舌 絡めて
あっ
舐めていいですか?
ガク
や…っ
ら
ガク
ガク

……っ
ら
ドクッ ドクッ
ドクッ
ドク
は
らめれす……
は
でも城谷《しろたに》さん
自分で今
だらしなく
口開けてますよ
は
はっ

俺に何されるか
解《わか》ってるのに
らって…っ
きゅう.
……早く
いいって
言わないと
っ
口から唾液《だえき》
こぼれそうです
…っは
はっ
は
は

やら…
い やれす
れったい……
そんなことされたら
ふ
俺
は…
どん
！
びくっ
っ
どうして
は

城谷《しろたに》さんの心は嫌がってるのに
城谷《しろたに》さんの体は城谷《しろたに》さんのいうこと聞かないんですかね？
ギュー！
ぎゅう‥
はー
はー
はー

ヤコ
んっ…!?
ぼっ
それ食べた後に何か少しでもカロリー採《と》った方がいいですよ

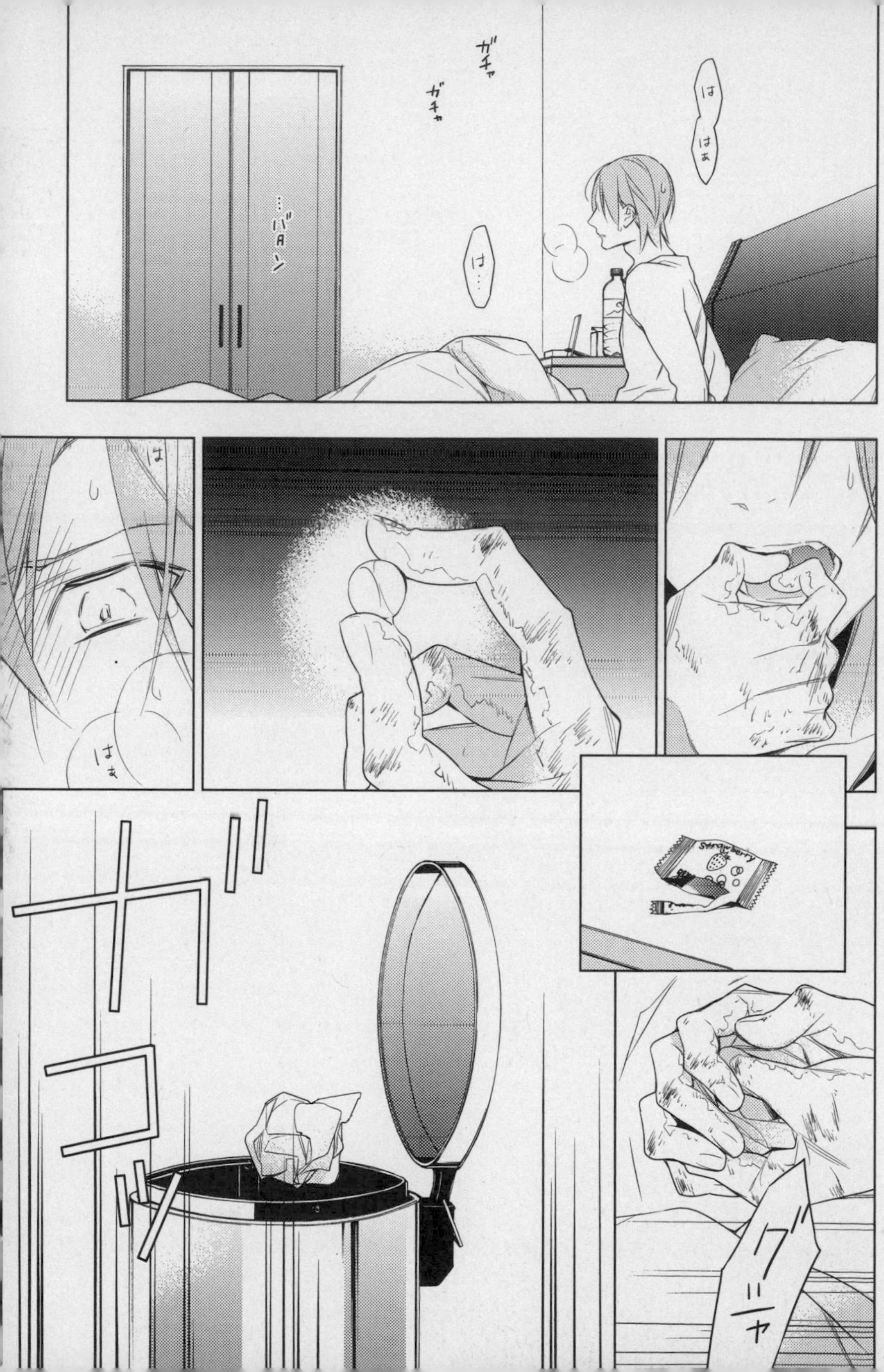

は
はぁ
ガチャ
ガチャ
は…
…バタン
は
はぁ
Strawberry
グニャ
ガコッ

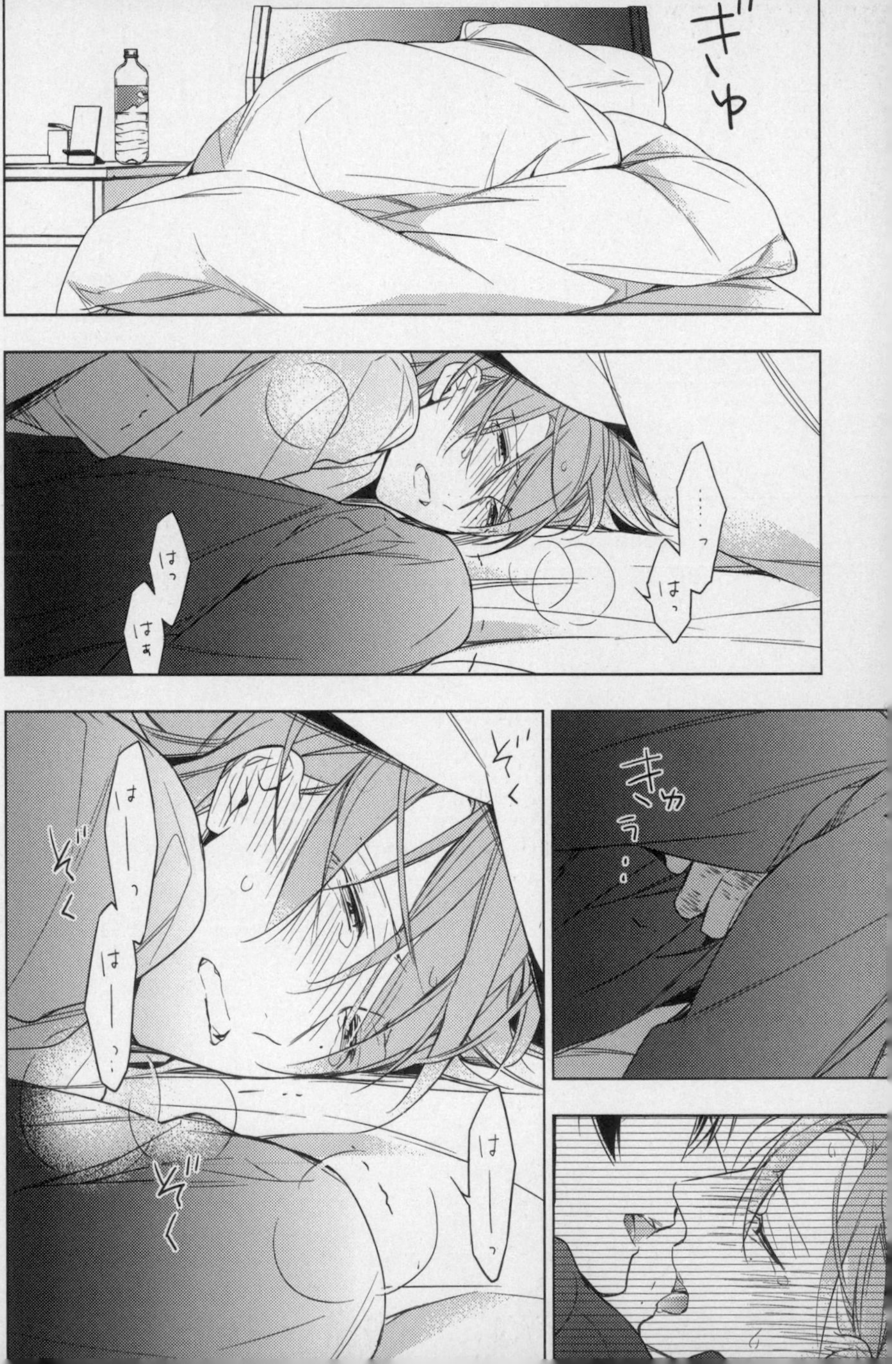
ギュ
……っ はっ
はっ はぁ
きゅう…
ぞく
はーっ はーっ…
ぞくぞく
はーっ
ぞくぞく

ガチャン
ガシャ
……………
ぎゅ…

本当に……酷《ひど》いですね
城谷《しろたに》さん

10count by rihito takarai

10count by rihito takarai

テンカウント
count.18

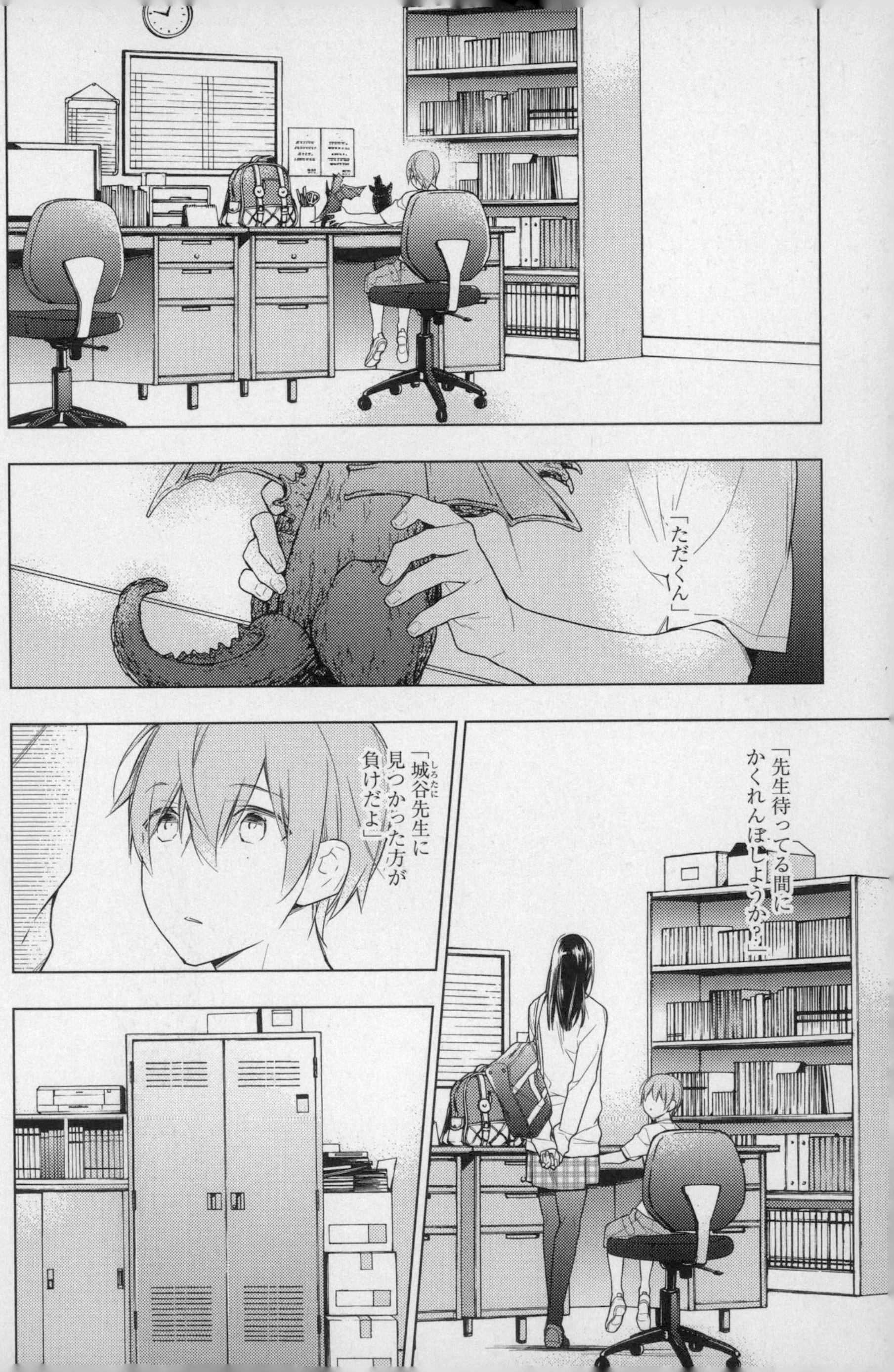
「ただくん」
「先生待ってる間にかくれんぼしようか？」
「城谷《しろたに》先生に見つかった方が負けだよ」

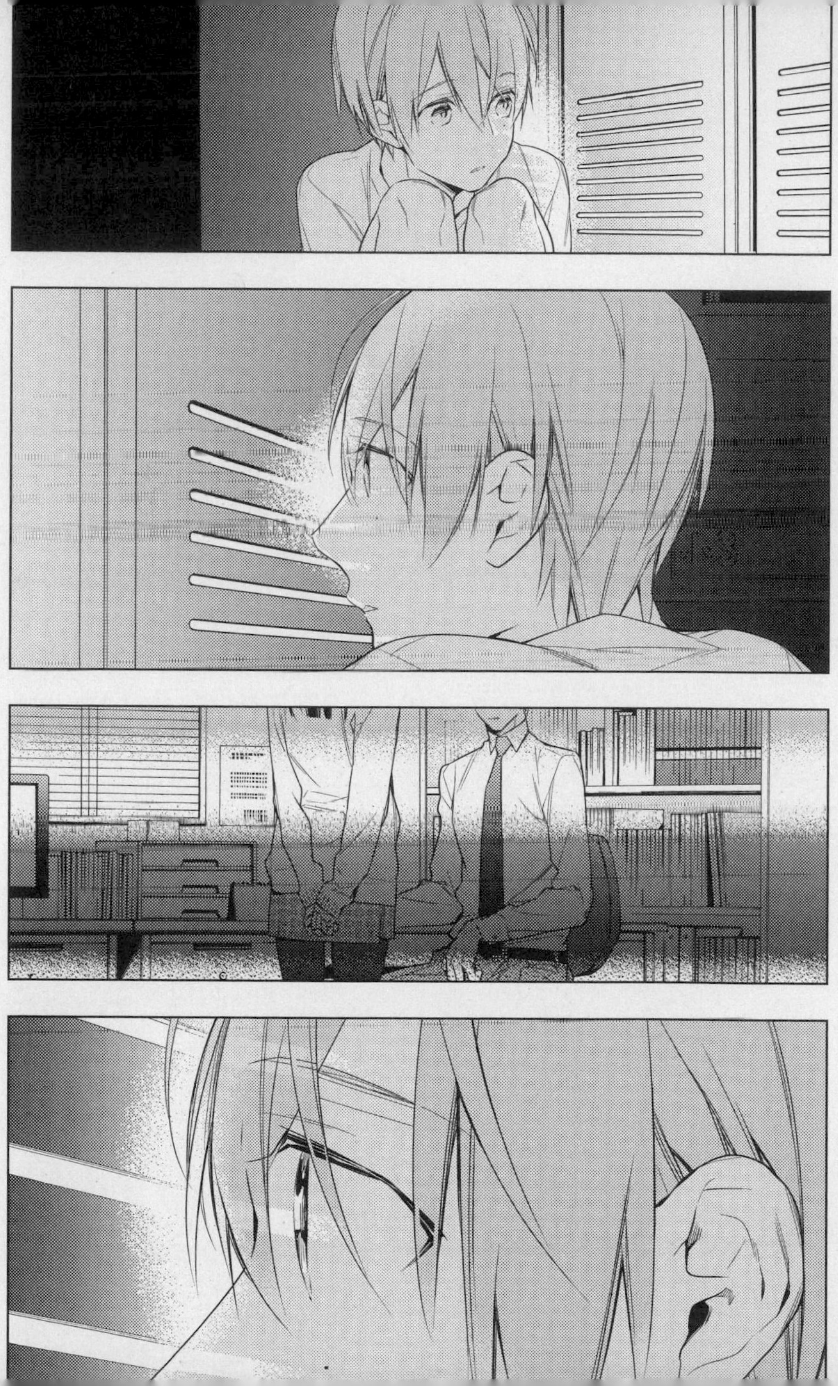

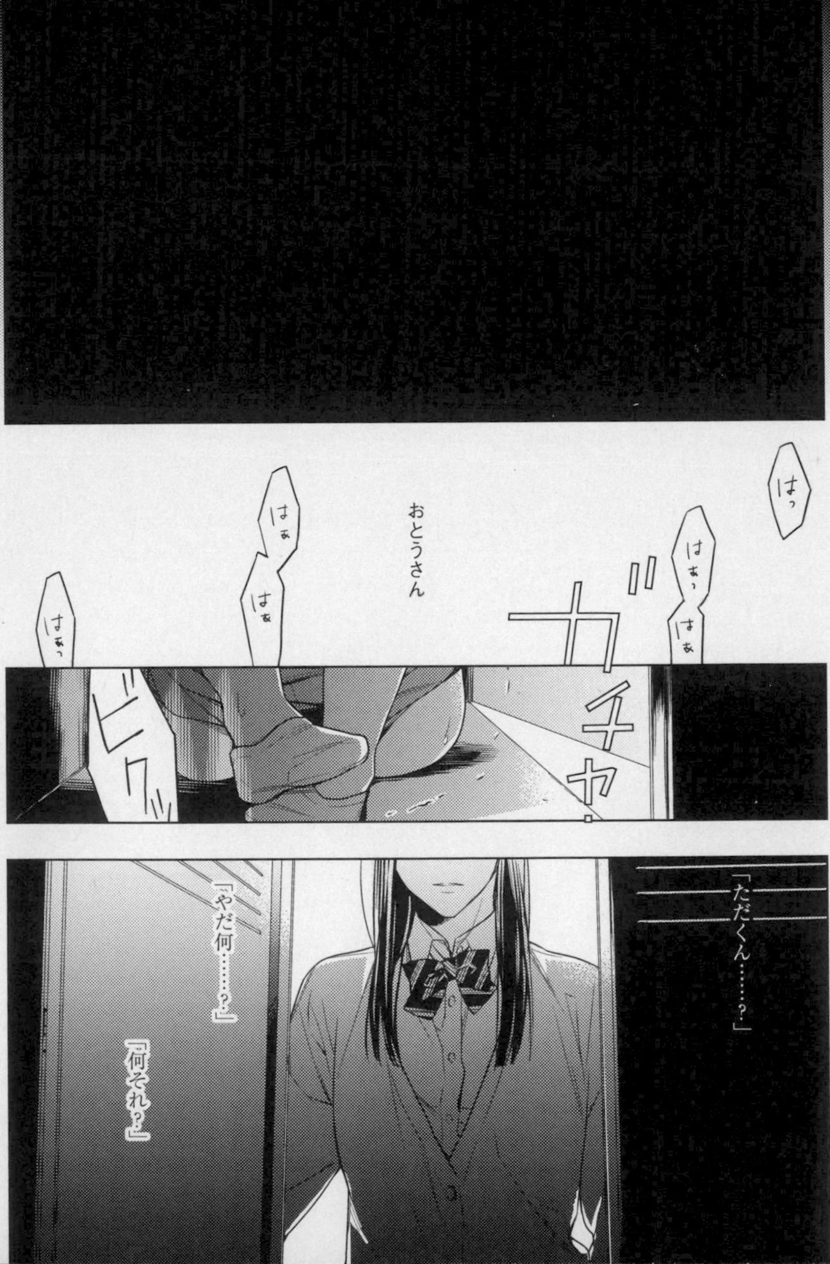
はっ
はぁっ はぁ
ガチャ！
おとうさん
はぁ はぁ
はぁっ
ビクッ
「ただくん……？」
「やだ何……？」
「何それ？」

気持ち悪い
はっ
はぁっ
はぁっ
はぁっ
はぁ

はぁ
はぁ
Strawberry
はぁ
ガタッ
はぁっ
はぁっ
はぁ
新規メール
宛先:黒瀬 陸
件名:
ブーブー
ブ…

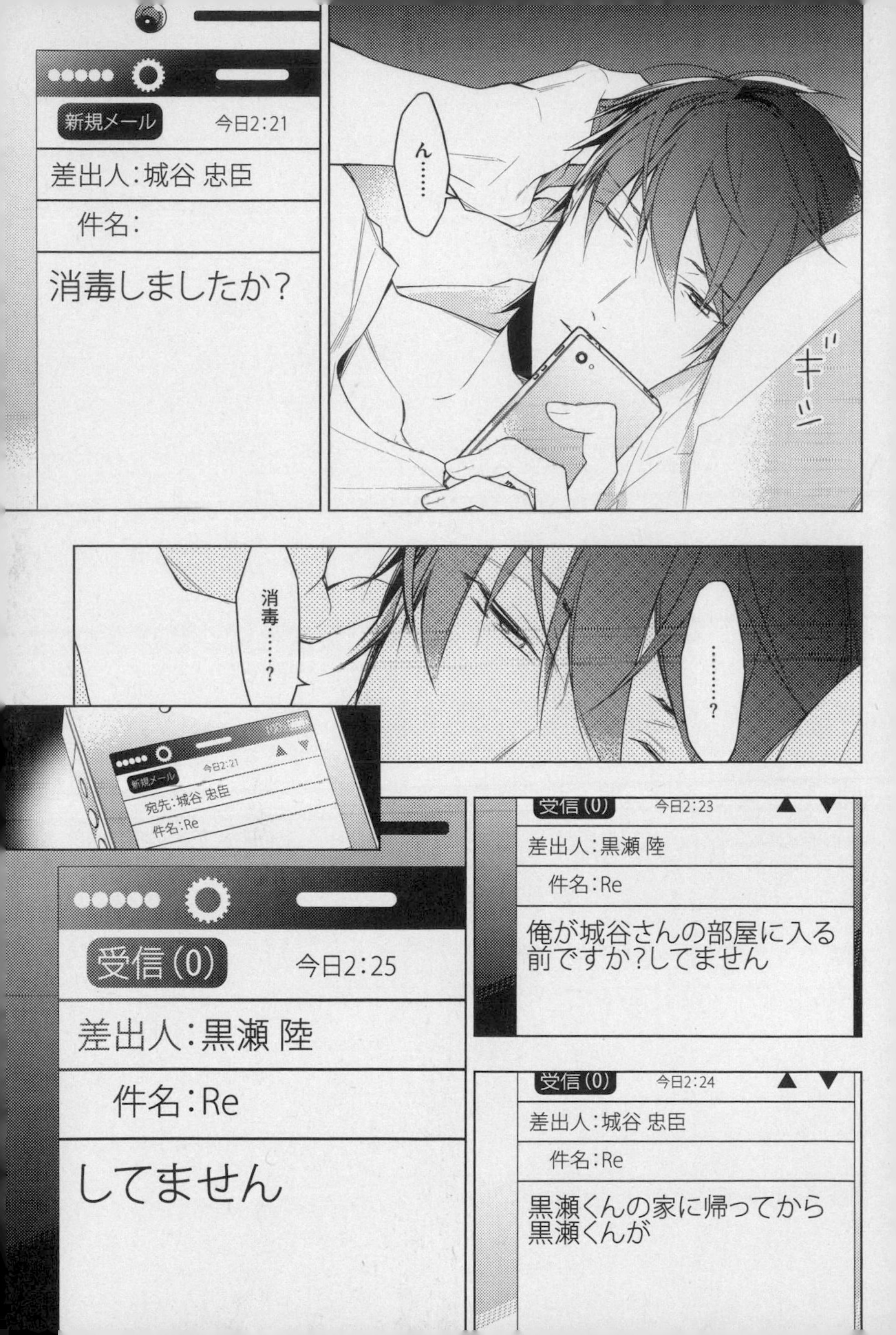
ん……
ギッ
新規メール
今日2:21
差出人：城谷 忠臣
件名：
消毒しましたか？
……？
消毒……？
今日2:21
新規メール
宛先：城谷 忠臣
件名：Re
受信(0)
今日2:23
差出人：黒瀬 陸
件名：Re
俺が城谷さんの部屋に入る前ですか？してません
受信(0)
今日2:24
差出人：城谷 忠臣
件名：Re
黒瀬くんの家に帰ってから黒瀬くんが
受信(0)
今日2:25
差出人：黒瀬 陸
件名：Re
してません

差出人：城谷 忠臣
件名：
してください
受信(0)
宛先：城谷 忠臣
件名：
件名：
しません
……っ

何でっ……
ぎゅうっ・・
何でっ……
消毒……
してください……!
黒瀬《くろせ》くんとの
この関係は
何て言うんだろう?
それ
この間作ったスーツ
出来たんですね
やっぱりその色
似合います

ほ
三上《みかみ》にどこで仕立てたのか聞かれました
センスいいって
………
……よかったです
でも俺と会う時はあんまり着てこないでくださいね
え どうしてですか？
せっかく作ったのに万一汚したら元も子もないじゃないですか

よ
汚さないでください
はい
黒瀬《くろせ》くんは何も聞かない
手を振り払ったことも
風邪をひいた日のことも
10項目めが何かも
1ドアノブに触る
2自分の私物に他人が触る
3本屋で本を買う
4電車のつり革を持つ
5飲食店で食事をする
6素手で人と握手をする
7他人の私物を消毒せずに持ち歩く
8飲み物のまわし飲み
9部屋に他人が入る
10

週末近くなるといつも同じようなメールが来て時々一緒に出かける
……黒瀬《くろせ》くん
男同士で付き合うって その…どういうことですかね？
俺と城谷《しろたに》さんが？
い いや一般的に
殆《ほとん》ど男女と同じじゃないんですか？
……同じじゃないですよ

そうですかね
これも俺が手帳の10の欄を埋めたら終わるんだろうか
ジャリ
…
ところで城谷《しろたに》さん
城谷《しろたに》さんは
水族館と動物園はどっちがマシですか？
SEA PARA
YOKOHAMA

男二人で来てる客って全然見かけないな
黒瀬《くろせ》くんも全然楽しそうに見えないけど……
いつも通りのような気もする
これはこれで気分転換にはなってるけど
ザーーー
何かが違うような
歯車が狂ってるような気がするのは
どうしてだろう
キュッ

黒瀬《くろせ》くん
さっきペンギンに餌《えさ》やる時
わざと俺の方に向かって投げてませんでしたか!?
あ、すいません
手が滑《すべ》って
ここちょっとペンギンにつつかれて汚れましたよ!?
ここ!
どこですか？全然汚れてないですよ
ほらここですよっ

はっ…
もう　いいです……
暗くて見えないし…
…………

これは
何か
潔癖症克服《けっぺきしょうこくふく》のために会ってるっていうか——
デ……
いや……
気のせいだ
城谷《しろたに》さん
はっ
な
なんですか？

次の休み
映画観ませんか
ああ
映画……
てゆか。
映画館
苦手だ
映画館と
うちだと
どっちがマシ
ですか？
……
これは
潔癖症克服のために
会ってる
っていうか――
ピーンポーーン

ガチャ
あれ
城谷《しろたに》さん
髪切りましたか？
ドキ
あー 少し
この間会社で
三上《みかみ》に……
髪 あげてない
のもいいなって
言われて

それで
そういうのも
いいかと思って
……へぇ…
ドキドキ
ドキ
とっさにまた三上《みかみ》の名前を出してしまった……
つい…
いいじゃないですか
似合ってますよ

どうぞ
お邪魔します
でも三上《みかみ》に言われたのは本当だし
バタン
ズキ
ズキ
ズキ
何で俺ちょっと罪悪感があるんだ……
そこ座っててください
あ
はい
くろ…
ふっ…
ふっ
ふ
ろせく…
今日…
っ

は
映画…
ふ
観るって…
ぐり
ビクッ
ふぁっ
っ
そのつもりだったんですけど
〜〜〜〜…っ
ふ
ずっと上の空だったのは城谷《しろたに》さんですよ……？
はぁ
はーっはーっ
俺
は
ぶる
なんでまたわざわざ自分から黒瀬《くろせ》くんの家まで来てこんなこと…

はぁ
は
解《わか》ってるのに——
プツッ
あ
はっ
はぁ
はぁ…
……髪
三上《みかみ》さん
何て言ってました?
は…
え……?
は

は…
み
三上《みかみ》……？
三上《みかみ》さんに言われて切ったんでしょ？
！
っそれは……
「俺は下ろしてる方が好きです」
は
………
はぁ
………
は
……褒《ほ》めてくれました？
はっ
ビク
っ… ふ
あ
きゅう…
ビクッ
違
やっ
ビクッ

は
はぁ
する
ビク
やっ
手袋
ぐっ
外さないでください……っ
わかりました
ああ そうだ
ス.

はぁ はぁ
ほ、
ガサ
はぁ…
パコ
ガサ
ガサ
ポイ
……？
これ
城谷《しろたに》さんに買ったんです

？なんですか これ……
これ入れて慣らすんです
？
ぐい
ここに
くっ…

男同士で
付き合うって
どういうことかって
前に城谷《しろたに》さん
聞いたじゃないですか
だっ
駄目駄目駄目駄目駄目駄目駄目
駄目っ
ばた
急になに
言っ
ばた
絶対無理です
気持ち悪いっ
そっそっそんな異物
入るわけないです

すごく小さいから
初めてでも痛くはないと
思うんですけど
ほら
ひっ
やめ
そそそういう問題じゃ
ないですよ！
ギゅーっ
とにかく
絶対 ダメ
ですから……っ
そんなもの
勝手に買わないで
ください……
そろ…
くに
ひぁっ‥
ビクン

くに
くに
ビク
くに
ビク
くに
ビク
なに
ーーっ
ビク
ふ
や
ビク
ふ
やめ
っ
ふっ
くろ
黒瀬《くろせ》く
絶対
な…
ぜった
絶対
い
は
っ
ダメ
ですから
…っ
は
ここ
指で慣らしてもいいですけど……
っん
城谷《しろたに》さんはこれ消毒して使う方が抵抗少ないんじゃないかと思って
くく…っ
ビクッ

手だと雑菌が気になりますよね？
ふっ　っ
だめ…
…です
だめっ…
指のほうがいいですか？
ぐりッ
ふ
な
なん
きゅう…っ
あっ　っ
なんで
っ
気持ち悪いのに
擦《こす》られてるだけなのに
また
ぶるっ…
は
は
はーっ
変な気分になってきた……
は

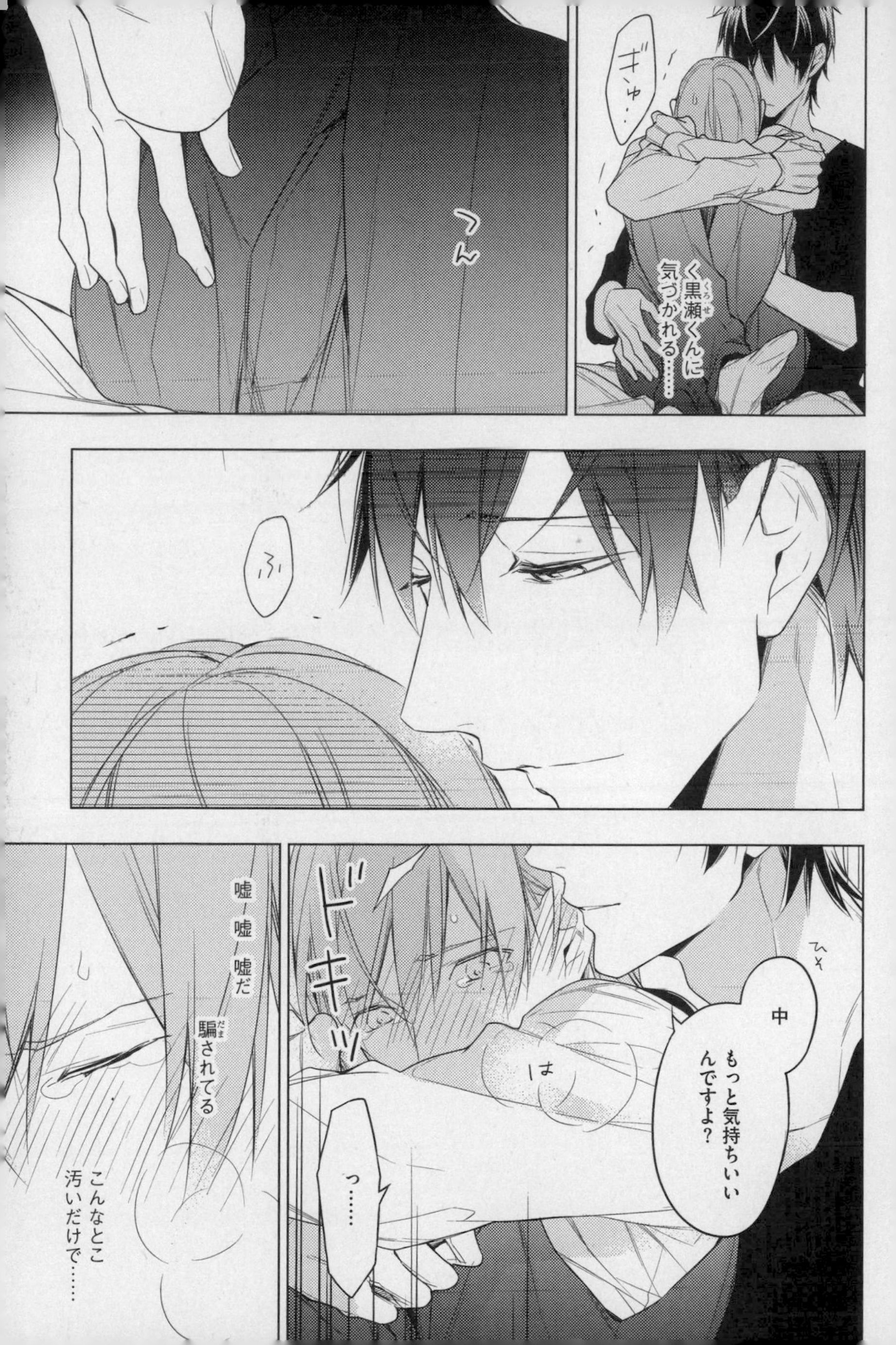

ギゅ‥
く黒瀬《くろせ》くんに
気づかれる……
つん
ふ
ひそ
中
もっと気持ちいいんですよ？
ドキッ
は
っ……
嘘 嘘 嘘だ
騙《だま》されてる
こんなとこ
汚いだけで……

ちら
っ…
だってっ……
消毒って
言ったって――……
こんなとこに
絶対っ……
そんなの
じわ。。
がく
がく
い いれたら……
がく
ゆっくり
しますから
ね
っ
は
はっ
っ……
はっ

はぁ はぁ
お終わったら 黒瀬《くろせ》くん
俺がいいって言うまで 手…洗ってくれますか？
手洗うって……
俺が？
最初にじゃなくて終わったらですか…？
最初も洗いますけど
………
…………
……わかりました

K・I 医療用
K・I 医療用
城谷《しろたに》さん
なんでこの体勢なんですか？
だって…！
反対向いたら黒瀬《くろせ》くんに全部見えるじゃないですかっ

……いいですけど
とん
ビク
もうちょっとだけ膝《ひざ》に乗るようにしてください
ドキ
ドキ
はー……
はー
ドキ
ずリ
くいっ
あっ　わっ……

くに
ビク
ん…あっ
っ……っ
ぞく
ぞく
ぞくっ
ーーっ
くにー
ここーー
きゅう…
ひく
ひく

くに
本当にちゃんと入るんですかね？
っ ひ
ぞく
や 指っ… やだ…っ
くに
ぞく ぞくっ
キュ
ジェル塗るだけです
ひく ひく
ひく…
う
く…

To be continued.

10count by rihito takarai

10 count by rihito takarai

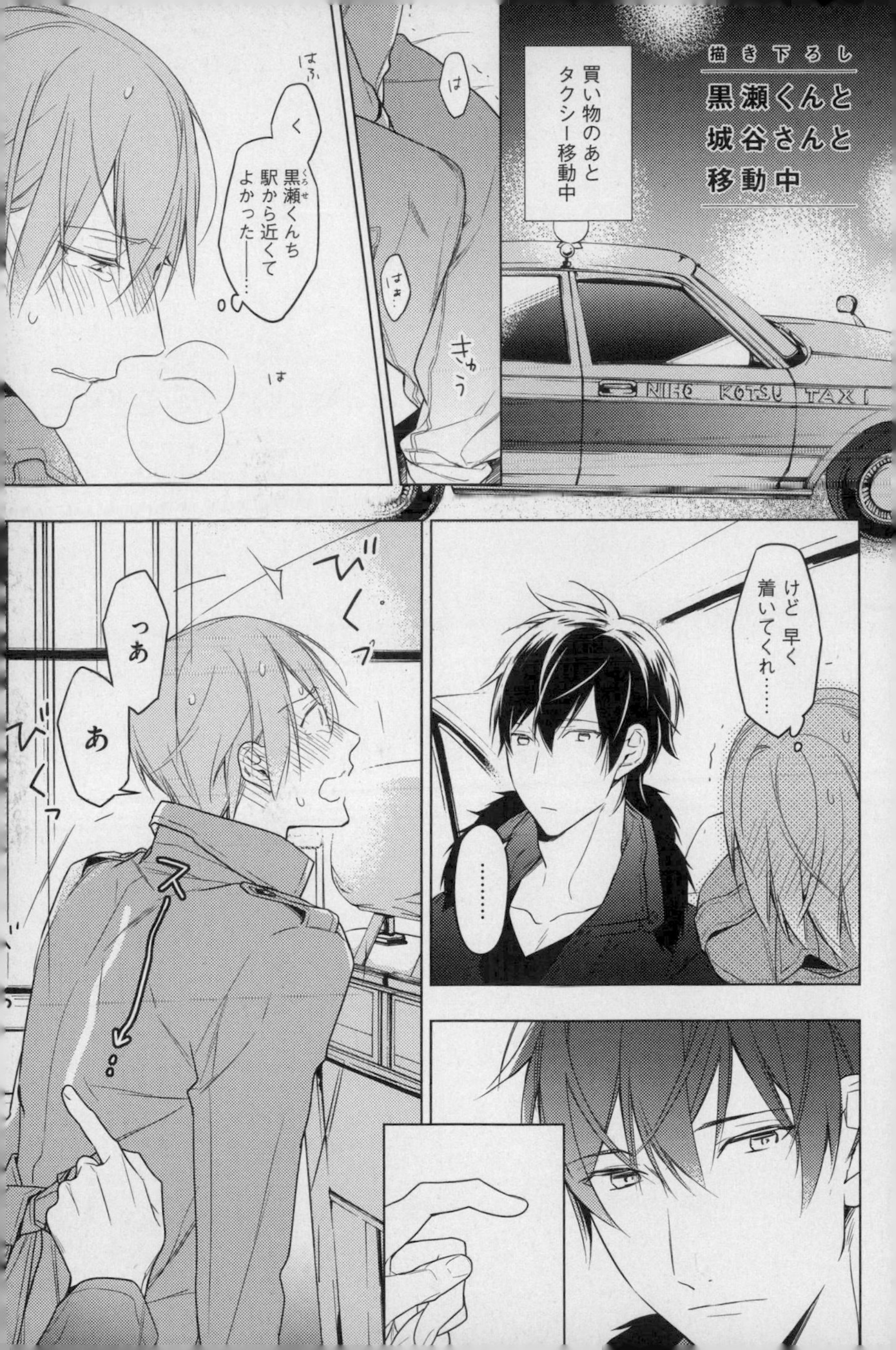
描き下ろし
黒瀬くんと城谷さんと移動中
買い物のあと タクシー移動中
NIHO KOTSU TAXI
は
はふ
く
黒瀬《くろせ》くんち 駅から近くて よかった――……
はぁ…
きゅう
は
けど早く 着いてくれ……
………
びくっ
っあ
あ
びくっ
スー…

ばっ
!?
あ すみません
肘《ひじ》が当たりました
はぁ
い、今の 肘!?
あんまり……
近く
来ないでくださいっ
はぁ
俺も端《はし》に居《い》ますから
はい
シャー
びくっ
ふあ
びく
あっ
びくっ
や……
コートにゴミがついてますよ
…………
end

描き下ろし
黒瀬くんと城谷さんと食事
あっ
さすがにずっと何も食べないのは体に悪いですから
何かレトルトでも食べた方が……
いや 別にそこまでお腹《なか》すいてるって訳じゃ
きゅるー
うぅ…
だだって
俺が食べてる時黒瀬《くろせ》くんまたじろじろ見てきそうじゃないですか
いや そんなの……
見ますよ
当然
……我慢します

城谷《しろたに》さんが何か食べてる姿 珍《めずら》しいじゃないですか
見ますよ
カッ
家に帰って食べます……
じゃあ目隠ししてるんでその間に食べるのはどうですか？
それなら俺と目も合わないでしょ
ええ？ いやいやそこまでしなくていいですよ……
なんかもうお腹いっぱいになってきました…
でも
いいですって
――結局
チーン
目隠しして俺がされるんですか!?
はい、どうぞ
口開けてください
本当にそれ食べ物ですか!?
怖っ

end

黒瀬も城谷もダメな大人ですね。

Sの人はMの人を褒めて育ててあげるのも大事だと聞きました。
城谷がだいぶ育ってきてしまいましたが
もしよろしければまた4巻もお付き合いください。

ご覧くださりありがとうございました。

宝井理人

いつもディアプラス・コミックスをご愛読いただきありがとうございます。
「テンカウント③」はいかがでしたか？　ぜひ、感想をお寄せください。

……あてさき……
〒113-0024 東京都文京区西片2-19-18　新書館
〈編集部へのご意見・ご感想〉ディアプラス編集部「テンカウント③」係
〈ファンレター〉ディアプラス編集部気付　宝井理人先生

初出

テンカウント count.13	Dear＋2014年09月号
テンカウント count.14	Dear＋2014年10月号
テンカウント count.15	Dear＋2014年11月号
テンカウント count.16	Dear＋2014年12月号
テンカウント count.17	Dear＋2015年01月号
テンカウント count.18	Dear＋2015年02,03月号
黒瀬くんと城谷さんと移動中	描き下ろし
黒瀬くんと城谷さんと食事	描き下ろし

テンカウント③

初版発行：2015年 3月15日

著　者　宝井理人［たからい・りひと］

発行所　株式会社 新書館
［編集］〒113-0024 東京都文京区西片2-19-18
電話（03）3811-2631
［営業］〒174-0043 東京都板橋区坂下1-22-14
電話（03）5970-3840　FAX（03）5970-3847
［URL］http://www.shinshokan.co.jp/

印刷・製本　図書印刷株式会社

装　丁　楠目智宏+永井さやか（arcoinc）

ISBN978-4-403-66461-8　Printed in Japan